PROFISSÕES

PROFISSÕES

1. Quem vai todos os dias ao hospital e não é médico nem enfermeiro?
2. Qual é o escritor que trabalha com o lenhador?
3. **Quem faz saltos sensacionais, mas nunca esteve em uma olimpíada?**
4. Qual é a primeira coisa que o jóquei faz quando começa a chover?
5. Qual ave é instrutora de turismo?
6. Por que o filho do eletricista quer entrar pra Polícia?
7. Qual é o nome da polícia que se olha no espelho?

Respostas: 1. Motorista de ambulância; 2. Machado de Assis; 3. O sapateiro; 4. Tira o cavalinho da chuva; 5. A-Guia; 6. Para fazer parte do Batalhão de Choque; 7. A polícia civil.

PROFISSÕES

8. Qual a semelhança entre o padre e o carpinteiro?

9. Quem tem uma multidão atrás de si?

10. Qual o alimento preferido dos escritores?

11. Qual a profissão do Harry Potter?

12. Quem foi o navegador açougueiro?

13. Que pessoa lida com os tipos?

Respostas: 8. Os dois pregam; 9. Maquinista de trem; 10.Sopa de letrinhas; 11. Ele é repórter; 12. O Cristovão "Com-Lombo"; 13. O tipógrafo.

PROFISSÕES

14. Enquanto o bom poeta declama, o que faz o vice poeta dele?

15. Que espécie de homem tem muitas cabeças?

16. Quando um ceramista faz travessuras?

17. Quem sempre trabalha com energia?

18. Como se resolve uma briga de relojoeiros?

19. O que faz o ferroviário sair da rotina?

20. O que o pintor gaúcho usa para apoiar as telas quando está pintando?

21. Quem sempre fica a ver navios?

Respostas: 14. O vice-versa; 15. O criador de gado; 16. Quando pinta o caneco; 17. O eletricista; 18. Acertando os ponteiros; 19. Ir a uma estação balneária; 20. Um cavale-tchê; 21. O faroleiro.

PROFISSÕES

22. Quem tem mais de quatro patas, mas não anda de quatro?

23. Qual o profissional que vai ao trabalho nenhum dia?

24. Qual a única certeza que todos os bailarinos têm quando vão procurar um emprego?

25. Um eletricista e um pizzaiolo são suspeitos de um crime. Qual o verdadeiro culpado?

26. Quem é o amor de um biólogo?

27. Por que o segurança sempre vence a corrida?

Respostas: 22. O criador de patos; 23. O guarda-noturno; 24. De que vão dançar; 25. O eletricista. Porque o que não mata engorda; 26. A MORfologia; 27. Porque segurança é sempre em primeiro lugar.

PROFISSÕES

28. Por que a padeira pediu divórcio para o marido?

29. Quem nunca sabe aonde vai durante o trabalho?

30. O que diz um ascensorista ao chegar ao topo?

31. Qual inseto quer ser modelo fotográfico?

32. Quem trabalha direito fazendo as coisas tortas?

33. Ao que equivale um terapeuta?

34. Quem é que, para respirar, carrega uma mochila?

Respostas: 28. Porque ele era um tremendo pão-duro; 29. O motorista de táxi; 30. "Desce."; 31. A mari-posa; 32. Quem faz anzóis; 33. A 1024 gigapeutas; 34. O mergulhador.

PROFISSÕES

35. Quando um desenhista distraído pode pôr fogo numa casa?

36. Quando o tintureiro procura o médico?

37. Por que dois oculistas discutem tanto?

38. Quem ganha a vida contando até 3?

39. Quem vive dando a volta por cima?

40. O que faz o artista de televisão ir ao dentista?

Respostas: 35. Quando risca um fósforo; 36. Quando não passa bem; 37. Porque estão defendendo seu ponto de vista; 38. O leiloeiro; 39. Piloto de avião quando o aeroporto está congestionado; 40. Cuidar do canal.

PROFISSÕES

41. O que faz um barbudo em um barbeiro cuja navalha está sem fio?

42. Quando a lavadeira não pode ir para o trabalho?

43. Quem, para vencer na vida, tem que quebrar a cara?

44. Quem vive falando, mas a gente quase não vê?

45. Qual é o médico que tem, de fato, uma clientela selecionada?

46. Como os astronautas driblam a falta de gravidade nas refeições?

Respostas: 41. Põe as barbas de molho.; 42. Quando quebra a bacia; 43. O lutador de boxe; 44. A telefonista; 45. O que serve na seleção brasileira; 46. Evitando refeições leves.

PROFISSÕES

47. O que o médico viu na radiografia da cabeça do botão?

48. Quem não pode passar sem eletricidade?

49. Quando o eletricista não vai trabalhar?

50. Por que o jardineiro não briga com a planta?

51. Para que as pessoas prestam concurso para carteiro?

52. Quando um agricultor é esperto?

53. O que o escultor almeja?

Respostas: 47. Nada; 48. Os figurinistas que têm ferro elétrico; 49. Quando sua esposa dá à luz; 50. Porque ele a rega; 51. Para sê-lo; 52. Quando ele joga verde para colher maduro; 53. Fazer boa figura.

PROFISSÕES

54. Por que a professora usa óculos escuros na sala de aula?

55. Por que o agricultor é bom de matemática?

56. Qual o cara que gosta de confeitaria?

57. Quem quase faz alguém virar outra pessoa?

58. Para que um policial que dirige mal pega seu carro?

59. Quem ganha a vida apertando os outros?

60. Como um artista faz bagunça?

Respostas: 54. Porque os alunos são brilhantes; 55. Porque ele sempre chega na raiz; 56. O carameleiro; 57. O cirurgião plástico; 58. Para dar uma batida; 59. O massagista; 60. Pintando o 7.

PROFISSÕES

61. Por que a cozinheira não mente quando diz que a comida está boa?

62. O homem era hortista, mas deixou a profissão. Qual é o nome do filme?

63. Quem vive do que os outros comem?

64. Qual é a profissão jornalística do Thor?

65. Qual a principal doença dos advogados?

66. O que é de graça, mas é remunerado?

67. O que é um físico que gosta de folclore e tradições?

Respostas: 61. Porque ela tem que provar; 62. O ex-hortista; 63. O dono do restaurante; 64. EdiTHOR; 65. Fórum-culo; 66. O trabalho do palhaço; 67. Um físi-culturista.

PROFISSÕES

68. Qual a profissão que mais impressiona a todos?

69. Quem é capaz de parar um trem com a mão?

70. Quem vive levando gelo e não acha ruim?

71. Por que a faxineira não luta karatê?

72. Quem só vive do sono dos outros?

73. Quem é pago para dar golpes?

74. Quem trabalha assobiando?

Respostas: 68. A de dentista, pois ele deixa todos de boca aberta; 69. O maquinista; 70. O entregador de fábrica de gelo; 71. Porque ela luta capoeira; 72. O fabricante de colchões; 73. O lutador de boxe; 74. O guarda de trânsito.

PROFISSÕES

75. Por que o estudante está sempre apressado?
76. Por que os marceneiros não têm problemas pulmonares?
77. O que faz o pintor vaidoso quando fica mais velho?
78. Qual é a doença mais comum nos agricultores?
79. Por que os carteiros carregam as cartas?
80. Para quem os dias passam voando?

Respostas: 75. Ele precisa perseguir seus estudos; 76. Porque respiram o ar da serra; 77. Pinta os cabelos; 78. Entupimento na horta; 79. Porque as cartas não podem carregar a si mesmas; 80. Para o piloto de avião.

PROFISSÕES

81. Quando um enfermeiro não deve atender uma pessoa que se acidenta pela segunda vez?

82. Sobre o que os historiadores conversam quando se encontram?

83. Qual o juiz que separa as pessoas que estão muito próximas?

84. Quem contribui mais para enxugar as lágrimas de quem chora?

85. Por que o ascensorista foi despedido do serviço?

86. **Qual a categoria mais fofoqueira?**

Respostas: 81. Quando ele é formado somente em primeiros socorros; 82. Sobre os velhos tempos; 83. O juiz de boxe; 84. O vendedor de lenço; 85. Porque não sabia o itinerário; 86. A dos repórteres, pois vivem contando casos da vida dos outros.

PROFISSÕES

87. Quando o pedreiro se sente feliz com a construção?

88. Qual a doença do fabricante de malas?

89. Por que o pedreiro gosta de assistir à corrida de Fórmula 1?

90. Qual a contradição básica da bailarina de circo?

91. Qual a doença que ataca policiais?

92. Qual a doença que ataca motoristas de táxi?

93. Qual a comida favorita dos mecânicos?

Respostas: 87. Quando já estabeleceu o piso e o teto; 88. Malária; 89. Porque ele acha massa a corrida; 90. Ela é uma estrela que brilha no chão; 91. A prisão de ventre; 92. Taxicardia; 93. Macarrão parafuso.

PROFISSÕES

94. Quando o agricultor fica de cabeça para baixo?

95. Quem ganha para enrolar no trabalho?

96. Quem na vida mais acerta o passo?

97. Que flor o jardineiro tem no rosto?

98. Por que os padeiros trabalham tanto?

99. De que vive um padeiro?

100. Qual é o cachorro do fazendeiro?

Respostas: 94. Quando planta bananeira; 95. O funcionário de fábrica de carretel; 96. O dançarino; 97. Cravo; 98. Para ganhar o pão de cada dia; 99. De sonhos; 100. O cão-peão.